# ЄВАНГЕЛІЯ ВІД

# ЙОАНА

МОВОЮ

УКРАЇНСЬКОЮ

# **Trinitarian** Bible Society

William Tyndale House, 29 Deer Park Road
London SW19 3NN, England

## ЄВАНГЕЛИЯ ВІД ЙОАНА

ПЕРЕКЛАД П.О.КУЛЇША, І.С.ЛЕВІЦЬКОГО І ПУЛЮЯ

Ukrainian Gospel according to John

Product Code: UKRJN

ISBN: 978 1 86228 541 5

© 2022 Trinitarian Bible Society

William Tyndale House, 29 Deer Park Road

London SW19 3NN, England

Registered Charity Number: 233082 (England) SC038379 (Scotland)
Copyright is held by the Incorporated Trinitarian Bible Society Trust
on behalf of the Trinitarian Bible Society.

15M/08/22

# ЄВАНГЕЛИЯ ВІД

# ЙОАНА

**1** У почині було Слово, й Слово було в Бога, й Бог було Слово.
2 Воно було в почині у Бога.
3 Все Ним стало ся; і без Него не стало ся ніщо, що стало ся.
4 У Йому життє було: й життє було сьвітлом людям.
5 І сьвітло у темряві сьвітить, і темрява Його не обняла.
6 Був чоловік посланий від Бога, ймя йому Йоан.
7 Сей прийшов на сьвідкуваннє, щоб сьвідкувати про сьвітло, щоб усі вірували через него.
8 Не був він сьвітло, а щоб сьвідкувати про сьвітло.
9 Було сьвітло правдиве, що просьвічує кожного чоловіка, що приходить на сьвіт.
10 На сьвіті був, і сьвіт Ним настав, і сьвіт Його не пізнав.
11 У своє прийшов, і свої не прийняли Його.

12 Котрі ж прийняли Його, дав їм власть дітьми Божими стати ся, що вірують в імя Його:
13 що не від крові, ні від хотіння тілесного, ні від хотіння мужеського, а від Бога родили ся.
14 І Слово тілом стало ся, і пробувало між нами (й бачили ми славу Його, славу, яко Єдинородного від Отця), повне благодати і правди.
15 Йоан сьвідкує про Него, й покликував, глаголючи: Се той, про кого казав я: За мною грядущий поперед мене був; бо перш мене був.
16 І з повноти Його ми всї прийняли й благодать за благодать.
17 Бо закон через Мойсея даний був; благодать і правда через Ісуса Христа стала ся.
18 Бога нїхто не бачив нїколи; єдинородний Син, що в лонї Отця, той вияснив.

19 І се сьвідченнє Йоанове, як післали Жиди з Єрусалиму священиків та левітів, щоб спитали Його: Хто ти єси?

20 І визнав, і не відпер ся; а визнав: Що я не Христос.

21 І питали його: Що ж? Ілия єси ти? І рече: Нї. Пророк єси ти? І відказав: Нї.

22 Казали ж йому: Хто ж єси? щоб нам одповідь дати тим, що післали нас. Що кажеш про себе?

23 Рече: Я голос покликуючого в пустинї: Випростайте дорогу Господню, як глаголав Ісаія пророк.

24 А послані були з Фарисеїв.

25 І питали вони його, й казали йому: Чого ж хрестиш, коли ти не Христос, нї Ілия, нї пророк.

26 Відказав їм Йоан, глаголючи: Я хрещу вас водою; серед вас же стоїть, которого ви не знаєте:

27 се за мною Грядущий, що поперед мене був; котрому я недостоєн розвязати ременя обувя Його.

28 Се в Витаварі стало ся, за Йорданом, де Йоан хрестив.

29 Назавтра бачить Йоан, що Ісус ійде до него, й рече: Ось Агнець Божий, що бере на себе гріхи сьвіта.

30 Се Той, про кого я казав: За мною гряде муж, що поперед мене був, бо перше мене був.

31 І я не знав Його, та, щоб явив ся Ізраілеві, для того прийшов я, хрестячи водою.

32 І сьвідкував Йоан, глаголючи: Що бачив я Духа, злинувшого як голуб з неба, і став він над Ним.

33 І я не знав Його; та пославший мене хрестити водою, той менї глаголав: На кого побачиш, що Дух злине та стане над Ним, се той, що хрестить Духом сьвятим.

34 І бачив я, і сьвідкував, що се Син Божий.

35 Назавтра знов стояв Йоан і два з учеників його;

36 і, споглянувши на Ісуса йдучого, рече: ось Агнець Божий.

37 І чули його два ученики глаголючого, й пійшли слідом за Ісусом.

38 І обернувшись Ісус та побачивши їх слідом ідучих, рече їм: Чого шукаєте? Вони ж сказали Йому: Рави (що єсть перекладом: Учителю), де пробуваєш?

39 Рече їм: Ідїть і подивіть ся. Пійшли вони, та й бачили, де пробуває, і перебули в Него день той; було ж коло десятої години.

40 Один з двох, що чули від Йоана та й пійшли слідом за ним, був Андрей, брат Симона Петра.

41 Він знаходить первий брата свого Симона, й каже йому: Знайшли ми Месию (що єсть перекладом: Христос).

⁴² І привів його до Ісуса. Поглянувши ж на него Ісус, рече: Ти єси Симон, син Йони; ти назвеш ся Кифа (що єсть перекладом: Петр).

⁴³ Назавтра хотів Ісус вийти в Галилею і знаходить Филипа, й рече йому: Йди слідом за мною.

⁴⁴ Був же Филип із Витсаїди, з города Андреєвого та Петрового.

⁴⁵ Знаходить Филип Натанаїла, й каже йому: Про кого писав Мойсей у законі й пророки, знайшли ми, Ісуса, сина Йосифового, що з Назарету.

⁴⁶ І каже Натанаїл до него: З Назарету хиба може що добре бути? Каже йому Филип: Іди та й подивись!

⁴⁷ Побачив Ісус Натанаїла, йдучого до Него, й рече про него: Ось справді Ізраїлитянин, що в йому підступу нема.

⁴⁸ Каже Йому Натанаїл: Звідкіля мене знаєш? Озвавсь Ісус і рече йому: Перш ніж Филип покликав тебе, як був єси під смоківницею, бачив я тебе.

⁴⁹ Озвавсь Натанаїл і каже Йому: Рави, Ти єси Син Божий, Ти єси цар Ізраїлїв.

⁵⁰ Озвавсь Ісус і рече йому: Що сказав тобі: Я бачив тебе під смоківницею, то й віруєш? Більше сього бачити меш.

⁵¹ І рече йому: Істино, істино глаголю вам: Від нинї бачити мете

небо відкрите, а ангелів Божих, що сходять угору і вниз на Сина чоловічого.

**2** А третього дня було весіллє в Канї Галилейській; і була мати Ісусова там;

² запрошено ж і Ісуса, й учеників Його на весіллє.

³ І, як не ставало вина, каже мати Ісусова до Него: Вина не мають.

⁴ Рече їй Ісус: Що менї й тобі, жено? ще не прийшла година моя.

⁵ Каже Його мати слугам: Що вам скаже, робіть.

⁶ Стояло ж там шість камяних водників про очищеннє Жидівське, що містили відер по два або по три.

⁷ Рече їм Ісус: Поналивайте водники водою. І поналивали їх аж по верх.

⁸ І рече їм: Черпайте тепер, та й несіть до старости. І понесли.

⁹ Як же покоштував староста води, що сталась вином (а не знав, звідкіля, слуги ж знали, що черпали воду), кличе жениха староста,

¹⁰ і каже йому: Кожен чоловік перш добре вино ставить, а як підопють, тодї гірше; ти ж додержав добре вино аж досї.

¹¹ Сей почин ознак зробив Ісус у Канї Галилейській, і показав славу

свою; і вірували в Него ученики Його.

12 Після сього пійшов у Капернаум, Він і мати Його, й брати Його, й ученики Його; і там пробували небагато днїв.

13 А була близько пасха у Жидів, і пійшов у Єрусалим Ісус,

14 і знайшов у церкві продаючих воли, й вівцї, і голуби, й міняльників сидячих.

15 І, зробивши джгута* з мотузків, повиганяв усїх із церкви, й вівцї й воли, а міняльникам порозсипав грошї, і столи поперевертав;

16 а тим, що голуби продавали, рече: Візьміть се звідсіля; не робіть дому Отця мого домом торговим.

17 Згадали ж ученики Його, що написано: Ревність дому твого з'їла мене.

18 Озвались тодї Жиди, й казали Йому: Що за знак покажеш нам, що се робиш?

19 Озвавсь Ісус і рече їм: Зруйнуйте сю церкву, й я за три днї піднїму вам її.

20 Казали тодї Жиди: Сорок і шість років будовано церкву сю, а Ти в три днї піднїмеш її?

21 Він же глаголав про церкву тїла свого.

22 Як же встав з мертвих, згадали ученики Його, що Він се глаголав їм; і вірували писанню і слову, що глаголав Ісус.

23 Як же був у Єрусалимі у пасху на сьвята, многі увірували в імя Його, побачивши чудеса Його, що робив.

24 Сам же Ісус не звіряв ся їм, тим що знав усїх:

25 бо не треба було Йому, щоб хто сьвідкував про чоловіка, бо Він знав, що було в чоловіку.

**3** Був же чоловік з Фарисеїв, Никодим імя йому, князь Жидівський.

2 Сей прийшов до Ісуса в ночі, і каже Йому: Рави, знаємо, що від Бога прийшов єси учителем; нїхто бо таких ознак не може робити, як Ти робиш, коли не буде Бог з ним.

3 Озвавсь Ісус і рече йому: Істино, істино глаголю тобі: Коли хто не народить ся звиш, не може видїти царства Божого.

4 Каже до Него Никодим: Як же може чоловік народитись, старим бувши? хиба може в утробу матери своєї знов увійти, і родитись?

5 Озвавсь Ісус: Істино, істино глаголю тобі: Коли хто не родить ся од води й Духа, не може ввійти в царство Боже.

---

* скрутля, плетінку

6 Роджене від тіла — тіло, а роджене від Духа — дух.

7 Не дивуй ся, що глаголав тобі: Мусите ви народити ся звиш.

8 Дух, де хоче, дише, й голос його чуєш, та не знаєш, звідкіля виходить, і куди йде; так усякий народжений од Духа.

9 Озвавсь Никодим і каже Йому: Як може се статись:

10 Відказав Ісус і рече йому: Ти єси учитель Ізраїлїв, і сього не знаєш?

11 Істино, істино глаголю тобі: Що те, що знаємо, говоримо, й що бачили, сьвідкуємо; а сьвідкування нашого не приймаєте.

12 Коли про земне глаголав вам, і не віруєте, — як же, коли скажу вам про небесне, увіруєте?

13 І ніхто не зійшов на небо, тільки хто з неба зійшов, Син чоловічий, що на небі.

14 І, як Мойсей підняв угору гадюку в пустинї, так мусить бути піднятий і Син чоловічий,

15 щоб кожний віруючий в Него не погиб, а мав життє вічнє.

16 Так бо полюбив Бог сьвіт, що Сина свого єдинородного дав, щоб кожен, віруючий в Него, не погиб, а мав життє вічнє.

17 Бо не післав Бог Сина свого на сьвіт, щоб осудив сьвіт, а щоб спас ся Ним сьвіт.

18 Хто вірує в Него, не осудить ся;

хто ж не вірує, уже осуджений; бо не вірував у ймя єдинородного Сина Божого.

19 Сей же єсть суд, що сьвітло прийшло на сьвіт, а полюбили люде темряву більше ніж сьвітло; були бо лихі їх учинки.

20 Кожен бо, хто чинить лихе, ненавидить сьвітло, й не йде до сьвітла щоб не зганено вчинків його.

21 Хто ж робить правду, йде до сьвітла, щоб виявились його вчинки, бо в Бозї роблені.

22 Після сього пійшов Ісус і ученики Його в Юдейську землю; і там пробував з ними, й хрестив.

23 Хрестив же й Йоан у Єнонї поблизу Салима, бо води було там багато; й приходили, й хрестились.

24 Ще бо не вкинуто в темницю Йоана.

25 Постало ж змаганнє в учеників Йоанових з Жидами про очищеннє.

26 І прийшли вони до Йоана, й казали йому: Рави, той що був з тобою за Йорданом, котрому сьвідкував єси, ось сей хрестить і всї йдуть до Него.

27 Озвавсь Йоан і рече: Не може чоловік прийняти нічого, коли не буде дано йому з неба.

28 Самі ви менї сьвідкуєте, що я казав: Я не Христос, а що я посланий перед Ним.

29 Хто має заручену, той жених; а друг жениха, стоячи й слухаючи його, радощами радує ся голосу жениха; ся оце радість моя сповнилась.

30 Той мусить рости, я ж маліти.

31 Хто звиш гряде, той над усіма; хто від землі, той від землі, і від землі говорить; хто з неба гряде, той над усіма.

32 І що бачив і чув, про те й сьвідкує; і сьвідкування Його ніхто не приймає.

33 Хто прийняв сьвідкуваннє Його, той ствердив, що Бог правдивий.

34 Кого бо післав Бог, той слова Божі говорить; бо не мірою дає Бог Духа.

35 Отець любить Сина, і все дав у руки Йому.

36 Хто вірує в Сина, той має вічне життє; а хто не вірує Синові, не бачити ме життя, а гнів Божий пробуває на йому.

4 Як же взнав Господь, що прочули Фарисеї, що Ісус більш учеників єднає і хрестить, ніж Йоан,

2 (хоч Ісус сам не хрестив, а ученики Його;)

3 то покинув Юдею, та й пійшов знов у Галилею.

4 Треба ж було Йому проходити через Самарию.

5 Приходить оце в город Самарянський, названий Сихар, поблизу хутора, що дав Яков Йосифу, синові своєму.

6 Була ж там криниця Яковова. Оце ж Ісус, утомившись у дорозі, сидів так на криниці; було ж коло шестої години.

7 Приходить жінка з Самариї начерпати води. Рече їй Ісус: Дай мені пити.

8 Ученики бо Його пійшли в город, щоб купити їжі.

9 Каже ж Йому жінка Самарянка: Як се Ти, Жидовин бувши, пити просиш від мене, жінки Самарянки? Бо Жиди не сходять ся з Самарянами.

10 Озвавсь Ісус і рече їй: Коли б знала дар Божий і хто се говорить тобі: Дай мені пити, ти просила б Його, й дав би тобі води живої.

11 Каже Йому жінка: Добродію, і черпака не маєш, і колодязь глибокий; звідкіля ж маєш воду живу?

12 Хиба Ти більший єси отця нашого Якова, що дав нам сей колодязь? і він сам з него пив, і сини його, й скот його.

13 Озвавсь Ісус і рече їй: Всякий, хто пє воду сю забажає знов;

14 хто ж напеть ся води, що я дам йому, не забажає до віку; а вода, що дам йому, буде в йому жерелом води, що тече в життє вічнє.

15 Каже до Него жінка: Добродію, дай мені сієї води, щоб не жаждувала, ані ходила сюди черпати.

16 Рече їй Ісус: Іди поклич чоловіка твого, та й приходь сюди.

17 Озвалась жінка і каже: Не маю чоловіка. Рече їй Ісус: Добре сказала єси, що чоловіка не маєш;

18 пять бо чоловіків мала, та й тепер которого маєш, не чоловік тобі; у сьому правду сказала єси.

19 Каже Йому жінка: Добродію, бачу, що пророк єси Ти.

20 Батьки наші на сій горі покланялись; а ви кажете, що в Єрусалимі місце, де треба покланяти ся.

21 Рече їй Ісус: Жінко, вір мені, що прийде час, коли ні на горі сій, ані в Єрусалимі покланяти метесь ви Отцеві.

22 Ви кланяєтесь, а чому — не знаєте; ми кланяємось, і чому — знаємо, бо спасеннє від Жидів.

23 Та прийде час, і вже єсть, що правдиві поклонники поклонять ся Отцеві духом і правдою; Отець бо таких шукає покланяючих ся Йому.

24 Дух — Бог, і хто покланяєть ся Йому, духом і правдою мусить покланятись.

25 Каже Йому жінка: Знаю, що Месия прийде (званий Христос). Як прийде Він, звістить нам усе.

26 Рече їй Ісус: Се я, що глаголю тобі.

27 І прийшли на се ученики Його, й дивувались, що Він із жінкою розмовляв; та ніхто не сказав: Чого тобі треба? або: Про що розмовляєш із нею?

28 Покинула тодї відро своє жінка, й пійшла в город, і каже людям:

29 Ійдїть подивіть ся на чоловіка, котрий сказав мені все, що я зробила; чи се не Христос?

30 Вийшли ж з города, й прийшли до Него.

31 Тим часом просили Його ученики: Рави, їж.

32 Він же рече їм: Я маю їжу їсти, котрої ви не знаєте.

33 Казали ж ученики один до одного: Хиба хто приніс Йому їсти?

34 Рече їм Ісус: Моя їжа, щоб чинити волю Пославшого мене, й скінчити Його дїло.

35 Хиба ви не кажете: Що ще чотири місяцї, та й жнива прийдуть? Ось глаголю вам: Здійміть очі ваші, та погляньте на ниви, що вже пополовіли на жнива.

36 І приймає жнець плату, й збирає овощ у життє вічнє, щоб і хто сіє радував ся, і хто жне.

37 Бо у сьому слово правдиве: що инший, хто сіє, а инший, хто жне.

38 Я післав вас жати, коло чого ви не працювали; инші люде працювали, а ви на працю їх увійшли.

39 З города ж того багато увірувало

в Него Самарян через слово жінки, сьвідкуючої: Що сказав мені все, що зробила.

⁴⁰ Як же прийшли до Него Самаряне, просили Його зістатись у них; і зіставсь там два дні.

⁴¹ І багато більше увірувало за слово Його.

⁴² А тій жінці казали: Що вже не задля твого оповідання віруємо; самі бо чули, й знаємо, що се справді Спас сьвіту Христос.

⁴³ Через два ж дні вийшов звідтіля та прийшов у Галилею.

⁴⁴ Сам бо Ісус сьвідкував, що пророк у своїй отчині чести не має.

⁴⁵ Як же прийшов у Галилею, прийняли Його Галилейці, бачивши все, що зробив у Єрусалимі на сьвята: бо й вони ходили на сьвята.

⁴⁶ Прийшов же Ісус ізнов у Кану Галилейську, де зробив воду вином. І був один царський, котрого син нездужав у Капернаумі.

⁴⁷ Сей, почувши, що Ісус прибув із Юдеї в Галилею, прийшов до Него, й благав Його, щоб пійшов та оздоровив сина його, бо мав умерти.

⁴⁸ Рече ж Ісус до него: Коли ознак та див не побачите, не увіруєте.

⁴⁹ Каже до Него царський: Господи, йди перш, ніж умре дитина моя.

⁵⁰ Рече йому Ісус: Іди, син твій живий. І увірував чоловік слову, що промовив йому Ісус, і пійшов.

⁵¹ Вже ж він ішов, зустріли його слуги його й звістили, кажучи: Що хлопчик твій живий.

⁵² Спитав же в них про годину, коли полегшало йому. І кажуть йому: Що вчора семої години покинула його горячка.

⁵³ Зрозумів же батько, що тієї самої години, котрої сказав йому Ісус: Що син твій живий; і увірував сам і ввесь дім його.

⁵⁴ Се знов другу ознаку зробив Ісус, прийшовши з Юдеї в Галилею.

**5** Після сього було сьвято Жидівське; і прийшов Ісус у Єрусалим.

² У Єрусалимі ж коло Овечих воріт є купіль, що зветь ся по еврейськи Ветезда, з пятьма ходниками.

³ В них лежало велике множество недужих, сліпих, кривих, сухих, що дожидали движення води.

⁴ Ангел бо певного часу спускавсь у купіль і збивав воду: хто ж первий улазив після збивання води, одужував, якою б ні мучив ся болестю.

⁵ Був же там один чоловік, що трийцять і вісім років був у недузі.

6 Сього побачивши Ісус лежачого, й відаючи, що довгий уже час нездужає, рече йому: Хочеш одужати?

7 Відповів Йому недужий: Господи, чоловіка не маю, щоб, як зіб'єть ся вода, вкинув мене в купіль; як же прийду я, инший поперед мене влазить.

8 Рече йому Ісус: Устань, візьми постіль твою, та й ходи!

9 І зараз одужав чоловік, і взяв постіль свою, та й ходив; була ж субота того дня.

10 І казали Жиди сціленому: Субота; не годить ся тобі брати постелі.

11 Відказав їм: Хто оздоровив мене, той мені сказав: Візьми постіль твою, та й ходи.

12 Питали ж його: Що то за чоловік, що сказав тобі: Візьми постіль твою, та й ходи?

13 Той же, що одужав, не знав, хто Він; бо Ісус відійшов геть, як народ був на місці тому.

14 Опісля знаходить його Ісус у церкві, і рече йому: Оце одужав єси; не гріши більш, щоб гіршого тобі не стало ся.

15 Пійшов чоловік, та й сповістив Жидів, що се Ісус, що оздоровив його.

16 За се гонили Ісуса Жиди й шукали Його вбити, що се зробив у суботу.

17 Ісус же відказав їм: Отець мій і досі робить і я роблю.

18 За се ж іще більш шукали Його Жиди вбити, що не то ламле суботу, а ще й Отцем своїм зве Бога, рівним себе ставлячи Богу.

19 Озвав ся ж Ісус і рече їм: Істино, істино глаголю вам: Не може Син нічого робити від себе, коли не бачить, що Отець те робить: що бо Той робить, те й Син так само робить.

20 Отець бо любить Сина, і все показує Йому, що сам робить; і більші сих покаже Йому діла, щоб ви дивувались.

21 Бо, як Отець воскрешає мертвих і оживлює, так і Син, кого хоче, оживлює.

22 Бо Отець і не судить нікого, а суд увесь дав Синові,

23 щоб усї шанували Сина, як шанують Отця. Хто не шанує Сина, не шанує Отця, що післав Його.

24 Істино, істино глаголю вам: Що, хто слухає слово моє і вірує Пославшому мене, має життє вічнє, і на суд не прийде, а перейде від смерти в життє.

25 Істино, істино глаголю вам: Що прийде час, і нинї єсть, що мертві почують голос Сина Божого, й почувши оживуть.

26 Бо, як Отець має життє в собі, так дав і Синові життє мати в собі,

27 і власть дав Йому і суд чинити; бо Він Син чоловічий.

28 Не дивуйтесь сьому, бо прийде час, що в гробах почують голос Його,

29 і повиходять: которі добро робили, в воскреснє життя, а которі зло робили, в воскреснє суду.

30 Не можу я робити від себе нічого: як чую, суджу; і суд мій праведний; бо не шукаю волі моєї, а волі пославшого мене Отця.

31 Коли я сьвідкую про себе, сьвідченнє моє не правдиве.

32 Инший єсть, хто сьвідкує про мене; і я знаю, що правдиве сьвідченнє, котре про мене сьвідкує.

33 Ви посилали до Йоана, й сьвідкував правді.

34 Я же не від чоловіка сьвідченнє приймаю, а глаголю се, щоб ви спаслись.

35 Той був сьвітильник горючий і сьвітючий; ви ж хотіли повеселитись на часину сьвітлом його.

36 Я ж маю сьвідченнє більше Йоанового: діла бо, що дав мені Отець, щоб їх скінчити, ті діла, що я роблю, сьвідкують про мене, що Отець мене післав.

37 І пославший мене Отець сам сьвідкував про мене. Ані голосу Його не чули ви ніколи, ані виду Його не бачили;

38 і слова Його не маєте пробуваючого в вас; бо кого післав Він, тому ви не віруєте.

39 Прослідіть писання; бо ви думаєте в них життє вічнє мати; й ті сьвідкують про мене.

40 Та не хочете прийти до мене, щоб життє мати.

41 Чести від людей не приймаю.

42 Та я спізнав вас, що любови Божої не маєте в собі.

43 Я прийшов в імя Отця мого, і не приймаєте мене. Коли инший прийде в імя своє, того приймете.

44 Як ви можете вірувати, славу один од одного приймаючи, а слави, що від одного Бога, не шукаєте?

45 Не думайте, що я обвинувачу вас перед Отцем: є хто винуватить вас: Мойсей, що на него вповаєте.

46 Коли б ви вірували Мойсейові, вірували б мені; бо про мене той писав.

47 Коли ж його писанням не віруєте, як моїм словам вірувати мете?

**6** Після сього пійшов Ісус на той бік моря Галилейського, Тивериядського.

2 І йшло за Ним багато народу, бо бачили Його ознаки, що робив над недужими.

3 Зійшов же на гору Ісус, і сидів там з учениками своїми.

4 Була ж близько пасха, сьвято Жидівське.

5 Знявши ж Ісус очі і побачивши, що багато народу йде до Него, рече до Филипа: Звідкіля купимо хліба, щоб вони попоїли?

6 Се ж сказав, вивідуючи його, бо сам знав, що має робити.

7 Відказав Йому Филип: За двісті денариїв хліба не стане їм, щоб кожному з них хоч трохи досталось.

8 Каже Йому один з учеників Його, Андрей, брат Симона Петра:

9 Є тут хлопець один, що має пять хлібів ячних* та дві рибки; тільки що сього на стільки?

10 Рече ж Ісус: Заставте людей сідати. Була ж трава велика на тому місці. Посідали ж чоловіки, числом тисяч з пять.

11 Прийнявши ж хліби Ісус, і оддавши хвалу, подав ученикам, ученики ж сидячим; так само й риби, скільки хотіли.

12 Як же наситились, рече ученикам своїм: Позбирайте останки окрушин, щоб не пропало ніщо.

13 Зібрали ж і наповнили дванайцять кошів окрушин із пяти хлібів ячних, що зосталось у тих, що їли.

14 Люде ж, бачивши, яку ознаку зробив Ісус, сказали, що се справдї пророк, грядущий на сьвіт.

15 Як же постеріг Ісус, що хочуть прийти та схопити Його, щоб зробити Його царем, то пійшов ізнов на гору сам один.

16 Як же настав вечір, пійшли ученики Його над море,

17 і, ввійшовши в човен, плили на той бік моря у Капернаум. І вже стемнїло, й не приходив до них Ісус.

18 А море, од великого вітру, що бурхав, піднялось.

19 Одпливши ж гоней на двайцять і пять або трийцять, бачать, що Ісус ходить по морю, і до човна наближуєть ся, і полякались.

20 Він же рече їм: Се я; не лякайтесь.

21 Тодї радо прийняли Його в човен, і зараз човен опинивсь коло землї, куди вони прямували.

22 Назавтра народ, стоячий по тім боцї моря, побачивши, що иншого човна не було там, тільки один той, у котрий ввійшли ученики Його, й що не ввійшов з учениками своїми Ісус у човен, а що самі ученики Його відчалили,

23 инші ж човни поприходили з Тивериади поблизу місця, де їли хліб, як хвалу оддав Господь;

24 побачивши ж оце люде, що Ісуса там нема, анї учеників Його, ввійшли і вони в човни, та й

* ячміннних

11

прибули в Капернаум, шукаючи Ісуса.

²⁵ І, знайшовши Його на тім боці моря, сказали Йому: Рави, коли прибув єси сюда?

²⁶ Відказав їм Ісус і рече: Істино, істино глаголю вам: Шукаєте мене не тому, що бачили ознаки, а що їли хліб, та й наситились.

²⁷ Трудіть ся не для їжи погибаючої, а для їжи, що зостаєть ся в вічнє життє, котру Син чоловічий вам дасть; Сього бо Отець ствердив, Бог.

²⁸ Казали ж до Него: Що нам робити, щоб чинити діла Божі?

²⁹ Відказав Ісус і рече їм: Се єсть діло Боже, щоб вірувати в Того, кого післав Він.

³⁰ Казали ж Йому: Що ж робиш Ти за ознаку, щоб виділи ми, та й вірували Тобі? що чиниш?

³¹ Батьки наші манну їли в пустині, як писано: Хліб з неба дав їм їсти.

³² Рече ж їм Ісус: Істино, істино глаголю вам: Не Мойсей дав вам хліб з неба, а Отець мій дає вам хліб з неба правдивий.

³³ Бо хліб Божий той, що сходить з неба, і життє дає сьвітові.

³⁴ Казали ж до Него: Господи, всякого часу давай нам хліб сей.

³⁵ Рече ж їм Ісус: Я хліб життя, хто приходить до мене, не голодувати ме, і хто вірує в мене, не жаждувати ме ніколи.

³⁶ Тільки глаголю вам, що й виділи мене, та й не віруєте.

³⁷ Усе, що дає мені Отець, до мене прийде; а хто приходить до мене, не вижену геть.

³⁸ Бо зійшов я з неба, не щоб чинити волю мою, а волю Пославшого мене.

³⁹ Се ж воля пославшого мене Отця, щоб з усього, що дав мені, не погубив я нічого, а воскресив його останнього дня.

⁴⁰ Се ж воля пославшого мене, щоб кожен, хто видить Сина й вірує в Него, мав життє вічнє, і я воскрешу його останнього дня.

⁴¹ Миркали* тоді Жиди про Него, що сказав: Я хліб, що зійшов з небес;

⁴² і казали: Хиба се не Ісус, син Йосифів, которого знаємо ми батька й матїр? Як же Він каже: Що з неба зійшов я?

⁴³ Озвав ся ж Ісус і рече їм: Не миркайте між собою.

⁴⁴ Ніхто не може прийти до мене, коли Отець, пославший мене, не притягне його, й я воскрешу його останнього дня.

⁴⁵ Написано в пророків: І будуть усї навчені від Бога. Тим кожен, хто чув од Отця і навчивсь, приходить до мене.

⁴⁶ Не то, щоб Отця хто видів,

---

* відказували

тільки Той, хто від Бога, Той видїв Отця.

47 Істино, істино глаголю вам: Хто вірує в мене, має життє вічнє.

48 Я хлїб життя.

49 Батьки ваші їли манну в пустинї, та й повмирали.

50 Се хлїб, що з неба сходить, щоб, хто їсть Його, не вмер.

51 Я хлїб живий, що з неба зійшов. Коли хто їсть сей хлїб, жити ме по вік; а хлїб, що я дам, се тїло моє, що я дам за життє сьвіту.

52 Змагались тодї між собою, говорячи: Як може Він дати нам тїло їсти?

53 Рече ж їм Ісус: Істино, істино глаголю вам: Як не їсте тїла Сина чоловічого й не пєте Його крові, не маєте життя в собі.

54 Хто їсть тїло моє і пє мою кров, має життє вічнє, і я воскрешу його останнього дня.

55 Тїло моє справдї єсть їжа, а кров моя справдї єсть напиток.

56 Хто їсть тїло моє і пє кров мою, в менї пробуває, а я в йому.

57 Як післав мене живий Отець, і я живу Отцем, так і хто їсть мене, й той жити ме мною.

58 Се хлїб, що з неба зійшов. Не як батьки ваші їли манну та й повмирали; хто їсть сей хлїб, жити ме по вік.

59 Се Він глаголав у школї, навчаючи в Капернаумі.

60 Многі ж слухавши з учеників Його казали: Жорстоке се слово; хто може його слухати?

61 Знаючи ж Ісус сам у собі, що миркають про Него ученики Його, рече їм: Се вас блазнить?

62 Що ж, коли побачите Сина чоловічого, як входить туди, де перше був?

63 Се дух, що оживлює; тїло не годить ся нї на що. Слова, що я глаголю вам, се дух і життє.

64 Тільки ж є такі між вами, що не вірують. Знав бо з почину Ісус, котрі не вірують, і хто зрадить Його.

65 І рече: Тим глаголав вам, що нїхто не може прийти до мене, коли не буде дано йому від Отця мого.

66 Після сього багато з учеників Його пійшли назад, і вже більш з Ним не ходили.

67 Рече ж Ісус дванайцятьом: Чи й ви хочете йти?

68 Відказав тодї Йому Симон Петр: Господи, до кого йти нам? у Тебе слова життя вічнього,

69 і ми увірували й взнали, що Ти єси Христос, Син Бога живого.

70 Відказав їм Ісус: Хиба не я вас дванайцятьох вибрав? а один з вас диявол.

71 Говорив же про Юду Симонового Іскаріота: сей бо мав Його зрадити, один з дванайцяти.

**7** І ходив Ісус після сього по Галилеї; не хотів бо по Юдеї ходити, що шукали Його Жиди вбити.

2 Було ж близько Жидівське сьвято кучок.

3 Казали ж до Него брати Його: Зійди звідсіля, та й іди в Юдею, щоб і ученики Твої виділи діла Твої, що робиш.

4 Ніхто бо тайно нічого не робить, шукаючи сам знаним бути. Коли таке робиш, то покажи себе сьвітові.

5 Бо й брати Його не вірували в Него.

6 Рече тоді їм Ісус: Пора моя ще не прийшла; ваша ж пора всякого часу готова.

7 Не може сьвіт ненавидіти вас, мене ж ненавидить; бо я сьвідкую про него, що діла його лихі.

8 Ви йдїть на се сьвято; я ще не пійду на те сьвято, бо пора моя ще не сповнилась.

9 Се сказавши їм, зіставсь у Галилеї.

10 Як же пійшли брати Його, тоді й Він пійшов на сьвято, не явно, а якби потай.

11 Жиди ж шукали Його в сьвято, й казали: Де Він?

12 І було багато говірки про Него в народі: инші казали, що Він добрий; инші ж казали: Нї, а зводить народ.

13 Та ніхто явно не говорив про Него задля страху перед Жидами.

14 Як же було в половині сьвята, ввійшов Ісус у церкву, та й навчав.

15 І дивувались Жиди, кажучи: Як Він писання знає, не вчившись?

16 Озвав ся до них Ісус і рече: Моя наука не єсть моя, а Пославшого мене.

17 Коли хто хоче волю Його чинити, знати ме про науку, чи від Бога вона, чи я від себе глаголю.

18 Хто від себе говорить, слави своєї шукає; хто ж шукає слави Пославшого Його, Той правдивий, і неправди нема в Йому.

19 Хиба не Мойсей дав вам закон? а ніхто з вас не чинить закону. Чого шукаєте мене вбити?

20 Озвавсь народ і каже: Біса маєш; хто шукає вбити Тебе?

21 Відказав Ісус і рече їм: Одно діло зробив я, і всї дивуєтесь.

22 Мойсей дав вам обрізаннє (не, що від Мойсея воно, а від батьків); то й у суботу обрізуєте чоловіка.

23 Коли обрізаннє приймає чоловік у суботу, щоб не був зламаний закон Мойсеїв, чого на мене ремствуєте, що всього чоловіка уздоровив у суботу?

24 Не судїть по виду, а праведний суд судїть.

25 Казали тоді деякі з Єрусалимців: Чи не се Той, що шукають убити Його?

26 І ось явно говорить, і нічого Йому не кажуть. Чи справді не взнали князі, що Він справді Христос?

27 Тільки ж ми Його знаємо, звідкіля Він; Христос же як прийде, ніхто не знати ме, звідкіля Він.

28 Покликне тоді в церкві Ісус, навчаючи й глаголючи: І мене знаєте, й знаєте, звідкіля я! а від себе не прийшов я, єсть же правдивий Пославший мене, которого ви не знаєте.

29 Я ж знаю Його, бо я від Него; й Той мене післав.

30 Шукали тоді, щоб схопити Його, та ніхто не зняв на Него руки, бо ще не прийшла година Його.

31 Многі ж з народу увірували в Него, й казали: Що, як прийде Христос, чи більші сих ознак робити ме, які Сей зробив?

32 Почули Фарисеї, що народ поговорював таке про Него, й післали Фарисеї та архиєреї слуги, щоб схопили Його.

33 Рече їм тоді Ісус: Ще малий час я з вами, й пійду до Пославшого мене.

34 Шукати мете мене, та й не знайдете; й де я, ви не зможете прийти.

35 Казали тоді Жиди між собою: Куди Він хоче йти, що ми не знайдемо Його? Чи не між розсипаних Геленян хоче йти та навчати Геленян?

36 Що се за слово, що каже: Шукати мете мене, та й не знайдете? і: Де я, ви не можете прийти?

37 В останній же великий день сьвята став Ісус, та й покликнув, глаголючи: Коли хто жаждує, нехай прийде до мене, та й пє.

38 Хто вірує в мене, як рече писаннє, ріки води живої з черева його потечуть.

39 Се ж глаголав про Духа, що мають прийняти віруючі в Него; ще бо не був (на них) Дух сьвятий, бо Ісус ще не прославив ся.

40 Многі ж з народу, почувши се слово, сказали: Се справді пророк,

41 инші казали: Чи з Галилеї ж Христу приходити?

42 Чи не глаголе ж писаннє, що з насіння Давидового й з Витлеєма села, де був Давид, Христос прийде?

43 Тоді повстало розділеннє в народі через Него.

44 Деякі ж з них хотіли схопити Його; тільки ж ніхто не зняв на Него рук.

45 Прийшли тоді слуги до архиєреїв та Фарисеїв, і казали їм вони: Чом не привели Його?

46 Відказали слуги: Ніколи так не говорив чоловік, як Сей чоловік.

47 Відказали тоді їм Фарисеї: Чи й вас не зведено?

48 Хиба хто з князів увірував у Него, або з Фарисеїв?

49 А сей народ, що не знає закону, проклятий.

50 Каже Никодим до них, которий приходив у ночі до Него, бувши один з них:

51 Чи закон наш судить чоловіка, коли не вислухає його перше й не знає, що робить?

52 Озвались вони й казали йому: Чи й ти з Галилеї єси? Пошукай і подивись, що пророк з Галилеї не встає.

53 І пійшов кожен до дому свого.

**8** Ісус же пійшов на гору Оливну.

2 Вранці ж ізнов прийшов у церкву, і всї люде приходили до Него; й сївши навчав їх.

3 Приводять же письменники та Фарисеї до Него жінку, схоплену в перелюбі, і, поставивши її посередині,

4 кажуть Йому: Учителю, сю жінку схоплено в перелюбі, на самому вчинку.

5 В законі ж Мойсей нам звелїв таких каменувати; Ти ж що кажеш?

6 Се ж казали, спокушуючи Його,

щоб мали чим винувати Його. Ісус же, схилившись до долу, писав пальцем по землі.

7 Як же не переставали питати Його, піднявшись рече до них: Хто з вас без гріха, нехай первий кине камінь на неї.

8 І, знов, схилившись до долу, писав по землі.

9 Вони ж, почувши й докорені совістю, вийшли один за одним, почавши від старших та аж до останнїх; і зоставсь один Ісус та жінка, стоячи посередині.

10 Піднявши ся ж Ісус і нікого не бачивши, тільки жінку, рече їй: Жінко, де ж ті винувателі твої? ніхто тебе не осудив?

11 Вона ж каже: Ніхто, Господи. Рече ж їй Ісус: І я тебе не суджу: йди, і більш не гріши.

12 Знов же промовляв їм Ісус, глаголючи: Я сьвітло сьвіту. Хто йде слїдом за мною, не ходити ме в темряві, а мати ме сьвітло життя.

13 Казали тодї Йому Фарисеї: Ти про себе сьвідкуєш; сьвідченнє Твоє неправдиве.

14 Озвавсь Ісус і рече їм: Хоч я сьвідкую про себе, правдиве сьвідченнє моє; бо я знаю, звідкіля я прийшов, і куди йду.

15 Ви по тїлу судите; я не суджу нікого.

16 Коли ж я суджу, суд мій

правдивий; бо я не один, а я й послと пославший мене Отець.

17 І в законї ж вашому написано, що двох людей сьвідченнє правдиве.

18 Я сьвідкую про себе, й сьвідкує про мене пославший мене Отець.

19 Казали тодї Йому: Де Отець Твій? Відказав Ісус: Нї мене не знаєте, нї Отця мого. Коли б мене знали, й Отця мого знали б.

20 Такі слова промовив Ісус у скарбницї, навчаючи в церкві; і нїхто не хапав Його; бо ще не прийшла година Його.

21 Рече їм тодї знов Ісус: Я йду, й шукати мете мене, і в гріхах ваших повмираєте. Куди ж я йду, ви не можете йти.

22 Сказали тодї Жиди: Чи не вбє Він себе, що каже: Куди я йду, ви не можете йти?

23 І рече їм: Ви од нижнього, я од вишнього; ви од сьвіту сього, я не од сьвіту сього.

24 Тим я сказав вам, що повмираєте в гріхах ваших: коли бо не увіруєте, що се я, повмираєте в гріхах ваших.

25 Казали тодї Йому: Хто Ти єси? І рече їм Ісус: Той, що з почину, як і глаголю вам.

26 Багато маю про вас глаголати й судити; тільки ж Пославший мене правдивий; і я, що чув від Нього, се глаголю в сьвітї.

27 Не розуміли, що про Отця їм глаголе.

28 Рече ж їм Ісус: Як знесете вгору Сина чоловічого, тодї зрозумієте, що се я, і що від себе не роблю нїчого; тільки, як навчив мене Отець мій, таке глаголю.

29 І Пославший мене — зо мною; не зоставив мене одного Отець; бо я роблю всякого часу, що подобаєть ся Йому.

30 Як се Він промовляв, многі увірували в Него.

31 Рече тодї Ісус до Жидів, що увірували Йому: Коли пробувати мете у слові моєму, справдї ви ученики мої будете,

32 і зрозумієте правду, й правда визволить вас.

33 Відказали Йому: Ми насїннє Авраамове, й нї в кого не були в неволї нїколи. Як же Ти говориш, що вільнї будете?

34 Відказав їм Ісус: Істино, істино глаголю вам: Що всякий, хто робить гріх, невільник гріха.

35 Невільник же не пробуває в дому до віку, Син пробуває до віку.

36 Коли ж Син визволить вас, справдї вільними будете.

37 Знаю, що ви насїннє Авраамове; та шукаєте вбити мене, бо слово моє не містить ся в вас.

38 Я, що видїв ув Отця мого, глаголю; а ви, що видїли в отця вашого, робите.

39 Озвались вони й казали Йому: Отець наш Авраам. Рече їм Ісус: Коли б ви діти Авраамові були, діла Авраамові робили б.

40 Тепер же шукаєте вбити мене, чоловіка, що вам правду глаголав, котру чув я від Бога. Сього Авраам не робив.

41 Ви робите діла отця вашого. Казали тоді Йому: Ми не з перелюбу родились: одного Отця маємо, Бога.

42 Рече ж їм Ісус: Коли б Бог отець ваш був, любили б ви мене; бо я від Бога вийшов і приходжу, бо не від себе прийшов я, а Він мене післав.

43 Чом бесіди моєї не розумієте? Бо не можете слухати слова мого.

44 Ви від отця диявола, й хотіння отця вашого диявола хочете робити. Той був душогубцем з почину; й в правді не встояв; бо нема правди в йому. Коли говорить брехню, із свого говорить; бо він брехун і отець її.

45 А що я правду глаголю, не віруєте мені.

46 Хто з вас докорить мені за гріх? Коли ж правду глаголю, чому ви не віруєте мені?

47 Хто від Бога, слова Божі слухає. Тому ви не слухаєте, що ви не від Бога.

48 Озвались тоді Жиди, й казали Йому: Чи не добре ми кажемо, що Самарянин єси Ти, і біса маєш?

49 Відказав Ісус: Я біса не маю, а шаную Отця мого; ви ж не шануєте мене.

50 Я ж не шукаю моєї слави; єсть, хто шукає й судить.

51 Істино, істино глаголю вам: Коли хто слово моє хоронити ме, смерти не побачить по вік.

52 Сказали тоді Йому Жиди: Тепер ми знаємо, що Ти біса маєш. Авраам умер і пророки, а Ти кажеш: Коли хто слово моє хоронити ме, не вкусить смерти по вік.

53 Хиба Ти більший єси, ніж отець наш Авраам, що вмер? І пророки повмирали. Ким Ти себе робиш?

54 Відказав Ісус: Коди я прославляю себе, слава моя ніщо. Єсть Отець мій, що прославляє мене, про котрого ви кажете, що Він Бог ваш.

55 І не пізнали Його; я ж знаю Його. А коли я скажу, що не знаю Його, буду подобний вам ложник. Ні, знаю Його, й слово Його хороню.

56 Авраам, отець ваш, рад був видіти день мій; та він увидів, і зрадів.

57 Казали тоді Жиди до Него: Не маєш пятидесяти років ще, і Авраама видів єси?

58 Рече їм Ісус: Істино, істино глаголю вам: Перш ніж Авраамові бути, я був.

59 Брали тодї каміннє, щоб кидати на Него; Ісус же сховав ся, і вийшов з церкви, пройшовши посеред них, і пійшов так мимо.

9 І, йдучи мимо, побачив чоловіка, сліпого зроду.

2 І спитали в Него ученики Його, говорячи: Рави, хто згрішив: він, чи родителї його, що сліпим родив ся.

3 Відказав Ісус: Нї він не згрішив, нї родителї його, тільки щоб явились дїла Божі на йому.

4 Менї треба робити дїла Пославшого мене, поки дня: прийде ніч; тодї нїхто не зможе робити.

5 Доки я в сьвітї, я сьвітло сьвітові.

6 Се промовивши, плюнув на землю, і зробив грязиво з слини, та й помазав грязивом очі сліпому,

7 і рече йому: Іди, вмий ся в купелї Силоамській (що перекладом: Посланий). Пійшов же і вмивсь, та й прийшов видющий.

8 Сусїди ж, що видїли його перше, що був сліпий, казали: Чи се не той, що сидїв та просив?

9 Инші казали: Що се той; а другі: Що похожий на него. Він же каже: Що се я.

10 Сказали тодї йому: Як відкрились твої очі?

11 Відказав він, і каже: Чоловік, званий Ісус, зробив грязиво, й помазав мої очі, і рече менї: Іди до Силоамської купелї та вмий ся. Пійшовши ж і вмившись, прозрів я.

12 Сказали тодї йому: Де Він? Каже: Не знаю.

13 Приводять його до Фарисеїв, колись сліпого.

14 Була ж субота, як грязиво зробив Ісус, і відкрив його очі.

15 Знов же питали його Фарисеї, як прозрів. Він же казав їм: Грязиво положив на очі мої, а я вмивсь, та й бачу.

16 Казали тодї деякі з Фарисеїв: Сей чоловік не від Бога, бо суботи не хоронить. Инші казали: Як може чоловік грішний такі ознаки робити? І була незгода між ними.

17 Кажуть сліпому знов: Ти що кажеш про Него, що відкрив твої очі? Він же сказав: Що Він пророк.

18 Не увірували ж Жиди про него, що сліпим був і прозрів, аж доки покликали родителїв самого прозрівшого.

19 І питали їх, кажучи: Чи се син ваш, про котрого ви кажете, що сліпим родив ся? як же тепер бачить?

20 Відказали їм родителї його, й казали: Знаємо, що син наш, і що сліпим родив ся;

21 як же тепер бачить, не знаємо;

або хто відкрив його очі, ми не знаємо. Він зріст має, його спитайте; сам про себе нехай говорить.

22 Се казали родителі його, бо боялись Жидів; уже бо постановили Жиди, щоб, коли хто Його визнає Христом, того вилучити із школи.

23 Тим родителі його казали: Що зріст має, його питайте.

24 Покликали тоді вдруге чоловіка, що був сліпим, і сказали йому: Дай славу Богу; ми знаємо, що чоловік сей грішний.

25 Озвав ся ж той, і сказав: Чи грішний, не знаю; одно знаю, що, сліпим бувши, тепер бачу.

26 Сказали ж йому знов: Що зробив тобі? як одкрив очі твої?

27 Відказав їм: Я сказав вам уже, й ви чули. Чого знов хочете чути? Хиба й ви хочете Його учениками бути?

28 Налаяли його тоді, і казали: Ти ученик Його, ми ж Мойсейові ученики.

29 Ми знаємо, що Мойсейові глаголав Бог; Сього ж не знаємо, звідкіля Він.

30 Озвавсь чоловік, і каже їм: Тим воно й дивно, що ви не знаєте, звідкіля Він, а відкрив очі мої.

31 Ми ж знаємо, що грішників Бог не слухає; хто ж побожний та волю Його чинить, того слухає.

32 Од віку не чувано, щоб одкрив хто очі зроду сліпому.

33 Коли б Сей не був від Бога, не міг би робити нічого.

34 Озвались і казали йому: У гріхах ти родивсь увесь, і ти навчаєш нас? Та й вигнали його геть.

35 Почув Ісус, що вигнали його геть, і, знайшовши його, сказав йому: Ти віруєш у Сина Божого?

36 Озвав ся той, і сказав: Хто Він, Господи, щоб увірував я в Него?

37 Рече ж йому Ісус: І видів єси Його, й хто говорить з тобою, се Він.

38 Він же каже: Вірую, Господи, та й поклонивсь Йому.

39 І рече Ісус: На суд я в сьвіт сей прийшов, щоб котрі не бачать, почали бачити, й щоб котрі бачать, сліпими робились.

40 І почули се деякі з Фарисеїв, що були з Ним, і казали Йому: То й ми сліпі?

41 Рече їм Ісус: Коли б сліпі були, не мали б гріха; тепер же кажете: Що бачимо; тим гріх ваш остаєть ся.

**10** Істино, істино глаголю вам: Хто не ввіходить дверима в кошару, а перелазить де инде, той злодій і розбійник.

2 Хто ж увіходить дверима, той пастир вівцям.

3 Тому воротар одчиняє, і вівці

голосу його слухають, і свої вівці кличе по імени, і виводить їх.

4 І як вижене вівці свої, ійде поперед них, а вівці ійдуть слідом за ним, бо знають голос його.

5 За чужим же не пійдуть, а втікати муть од него, бо не знають голосу чужих.

6 Сю приповість сказав їм Ісус, вони ж не зрозуміли, що се було, про що глаголав їм.

7 Тоді знов рече їм Ісус: Істино, істино глаголю вам: Що я двері вівцям.

8 Всї, скільки прийшло їх перше мене, злодії і розбійники; тільки ж не послухали їх вівці.

9 Я — двері: мною коли хто ввійде, спасеть ся, і входити ме, й виходити ме, і знайде пашу.

10 Злодій не приходить, як тільки щоб украсти, і вбити, й погубити. Я прийшов, щоб життє мали, й надто мали.

11 Я пастир добрий: пастир добрий душу свою кладе за вівці.

12 Наймит же й хто не пастир, що не його вівці, бачить вовка йдучого, та й кидає вівці, та й утікає; а вовк хапа їх, і розсипає вівці.

13 Наймит же втїкає, бо він наймит, і не журить ся про вівці.

14 Я пастир добрий, і знаю моїх, і знають мене мої.

15 Яко ж знає мене Отець, так і

я знаю Отця, і душу мою кладу за вівці.

16 І инші вівці маю, що не сієї кошари; і тих я мушу привести, й голос мій почують, і буде одно стадо, й один пастир.

17 За те Отець мене любить, що я кладу душу мою, щоб знов прийняти її.

18 Нїхто не бере її від мене, а я кладу її від себе. Маю власть положити її, і маю власть знов прийняти її. Сю заповідь прийняв я від Отця мого.

19 Постала тоді знов незгода між Жидами за слова сї.

20 Казали ж многі з них: Біса має і божеволіє; чого ви Його слухаєте?

21 Инші казали: Се слова не біснуватого. Хиба біс може сліпим очі відкривати?

22 Були ж поновини в Єрусалимі, і зима була.

23 І ходив Ісус по церкві у Соломоновім ходнику.

24 Обступили тоді Його Жиди, й казали Йому: Доки нас морочити меш? Коли Ти Христос, скажи нам явно.

25 Відказав їм Ісус: Я казав вам, та й не віруєте. Діла, що я роблю в імя Отця мого, сї сьвідкують про мене.

26 Та ви не віруєте, бо ви не з овець моїх, як я казав вам.

27 Вівці мої голосу мого слухають, і я знаю їх, і вони йдуть слїдом за мною.

28 І я життє вічнє даю їм; і не погинуть до віку, й не вихопить їх нїхто з рук моїх.

29 Отець мій, що дав менї, більший усїх, і нїхто не здолїє вихопити їх із рук Отця мого.

30 Я і Отець одно.

31 Брали тодї знов камінне Жиди, щоб каменувати Його.

32 Озвавсь до них Ісус: Багато добрих дїл явив я від Отця мого. За которе з тих дїл каменуєте мене?

33 Відказали йому Жиди, говорячи: За добре дїло не каменуємо Тебе, а за хулу, і що Ти, чоловіком бувши, робиш себе Богом.

34 Озвавсь до них Ісус: Хиба не написано в законї вашому: Я сказав, ви боги?

35 Коли тих назвав богами, до кого слово Боже було, та й не може поламатись писаннє, —

36 то як же про Того, кого Отець осьвятив і післав у сьвіт, ви кажете: Що хулиш, бо сказав: Я Син Божий?

37 Коли я не роблю дїл Отця мого, не ймїть віри менї.

38 Коли ж роблю, а ви менї не віруєте, то дїлам віруйте, щоб ви знали й вірували, що в менї Отець, і я в Йому.

39 Шукали тодї знов Його схопити, та вхиливсь од рук їх,

40 та й пійшов ізнов на той бік у те місце, де Йоан перше хрестив, та й пробував там.

41 І многі приходили до Него, й казали: Що Йоан нїякої ознаки не зробив, усе ж, що Йоан казав про сього чоловіка, правда була.

42 І увірували там многі в Него.

**11** Був же один, що нездужав, Лазар з села Мариї та Марти, сестри її.

2 Була ж се Мария, що намастила Господа миром і обтерла ноги Його волоссєм своїм, котрої брат Лазар нездужав.

3 Післали тодї сестри до Него, кажучи: Господи, ось той, що Ти любиш, нездужає.

4 Почувши Ісус, рече: Ся болїсть не на смерть, а про славу Божу, щоб прославивсь Син Божий через неї.

5 Любив же Ісус Марту, й сестру її, і Лазаря.

6 Як же почув, що нездужає, тодї зоставсь у тому місцї, де був, ще два днї.

7 Після того ж рече ученикам: Ходїм знов у Юдею.

8 Кажуть Йому ученики: Рави, тепер шукали Тебе Жиди каменувати, й знов ійдеш туди!

9 Відказав Ісус: Хиба не дванайцять годин у днї? Коли хто ходить у день, не спотикаєть ся, бо сьвітло сьвіта сього бачить.

10 Коли ж хто ходить поночі, спотикаєть ся, бо нема сьвітла в йому.

11 Се промовив, і після того рече їм: Лазар, друг наш, заснув; та я пійду, щоб розбудити його.

12 Казали тоді ученики Його: Господи, коли заснув, то й одужає.

13 Говорив же Ісус про смерть його; вони ж думали, що про спочинок сонний каже.

14 Тоді ж рече їм Ісус явно: Лазар умер.

15 І я радуюсь задля вас, що не був там, щоб ви увірували. Та ходімо до него.

16 Рече тоді Тома, на прізвище Близняк, товаришам ученикам: Ходімо й ми, щоб умерти з Ним.

17 Прийшовши тоді Ісус, застав його, що він чотирі дні вже у гробі.

18 Була ж Витания поблизу Єрусалиму, гоней на пятьдесять.

19 І багато Жидів поприходило до Марти та Мариї, щоб розважати їх по братові їх.

20 Марта ж, як почула, що Ісус прийшов, вибігла назустріч Йому; Мария ж сиділа в хаті.

21 Каже тоді Марта до Ісуса: Господи, коли б був єси тут, брат мій не вмер би.

22 Тільки ж і тепер знаю, що, чого попросиш у Бога, дась Тобі Бог.

23 Рече їй Ісус: Воскресне брат твій.

24 Каже Марта до Него: Я знаю, що воскресне у воскресенню останнього дня.

25 Рече їй Ісус: Я воскреснє і життє. Хто вірує в мене, коли й умре, жити ме.

26 І всякий, хто живе й вірує в мене, не вмре по вік. Чи віруєш сьому?

27 Каже йому: Так, Господи, я увірувала, що Ти єси Христос, Син Божий, грядущий на сьвіт.

28 І, се промовивши, пійшла та й покликала Марию, сестру свою, нишком, кажучи: Учитель прийшов, і кличе тебе.

29 Вона ж, як почула, встає хутко, і йде до Него.

30 Ще ж не прийшов у село Ісус, а був на місці, де зустріла Його Марта.

31 Тоді Жиди, що були з нею в хаті та розважали її, побачивши Марию, що хутко встала та вийшла, пійшли за нею, кажучи: Що йде до гробу, щоб плакати там.

32 Мария ж, як прийшла, де був Ісус, і побачила Його, то впала в ноги Йому, кажучи до Него: Господи, коли б був єси тут, не вмер би брат мій.

33 Ісус же, як побачив її, що плаче, і прийшовших з нею Жидів, що плачуть, засмутив ся духом, і зворушив ся,

34 і рече: Де положили його? Кажуть Йому: Господи, йди та подивись.

35 І заплакав Ісус.

36 Казали тоді Жиди: Ось як Він любив його!

37 Деякі ж з них казали: Чи не міг Сей, що відкрив очі сліпому, зробити, щоб і він не вмер?

38 Тоді Ісус, зітхнувши знов у собі, пійшов до гробу. Була ж печера, й камінь лежав на ній.

39 Рече Ісус: Зніміть каменя. Каже Йому сестра умершого Марта: Господи, уже смердить; чотири бо дні йому.

40 Рече їй Ісус: Чи не казав я тобі, що, коли вірувати меш, побачиш славу Божу?

41 Зняли тоді каменя, де положено мерця. Ісус же звів очі вгору, і рече: Отче, дякую Тобі, що почув єси мене.

42 Я ж знав, що всякого часу мене чуєш, тільки задля народу, що навколо стоїть, сказав, щоб увірували, що Ти мене післав.

43 І, се промовивши, покликнув голосом великим: Лазаре, вийди!

44 І вийшов мрець з завязаними в полотно ногами й руками, й лице його хусткою було завязане. Рече їм Ісус: Розвяжіть його й пустіть, нехай іде.

45 Тоді многі з Жидів, що поприходили до Марії, і виділи, що зробив Ісус, увірували в Него.

46 Деякі ж з них пійшли до Фарисеїв, та й сказали їм, що зробив Ісус.

47 Зібрали тоді архиєреї та Фарисеї раду, і казали: Що нам чинити? бо сей чоловік багато робить ознак.

48 Коли оставимо Його так, усі увірують в Него; й прийдуть Римляне, та й заберуть у нас і місце і нарід.

49 Один же з них, Каяфа, бувши архиєреєм року того, каже їм: Ви не знаєте нічого,

50 і не думаєте, що лучче нам, щоб один чоловік умер за людей, а не ввесь народ загинув.

51 Се ж не від себе промовив, а, бувши архиєреєм того року, пророкував, що має Ісус умерти за людей,

52 і не тільки за людей, а щоб і діти Божі розсипані зібрати в одно.

53 З того ж дня нарадились, щоб убити Його.

54 Ісус же більш не ходив явно по Юдеї, а пійшов звідтіля в землю близько пустині, у город званий Єфрем, і там пробував із учениками своїми.

55 Була ж близько пасха Жидівська; і йшло багато в Єрусалим із сіл перед пасхою, щоб очищати себе.

56 Шукали тоді Ісуса, й говорили

між собою, стоячи в церкві: Як вам здаєть ся? чи не прийде на сьвято?

57 Дали ж і архиереї і Фарисеї наказ, щоб, як хто знати ме, де Він, то щоб схопити Його.

**12** Тоді Ісус, шестого дня перед пасхою, прийшов у Витанию, де був Лазар, що був умер, котрого воскресив із мертвих.

2 Зробили тоді Йому вечерю там, і Марта послугувала, Лазар же був один із тих, що сиділи за столом.

3 Мария ж, узявши литру мира нардового, правдивого, предорогого, намастила ноги Ісусу, та й обтерла волоссєм своїм ноги Його; господа ж повна була духу від мира.

4 Каже тоді один з учеників Його, Юда Симонів Іскариоцький, що мав Його зрадити.

5 Чому мира сього не продано за триста денариїв та не роздано вбогим?

6 Сказав же се не того, що про вбогих дбав, а що злодій був, і скриньку мав, і, що вкидано, носив.

7 Рече тоді Ісус: Остав її; на день похорону мого приховала се.

8 Вбогих бо маєте всякого часу з собою, мене ж не всякого часу маєте.

9 Довідалось же багато народу з Жидів, що Він там, і поприходили не задля Ісуса одного, а щоб і Лазаря побачити, котрого воскресив із мертвих.

10 Нарадили ся ж архиереї, щоб і Лазаря вбити;

11 бо многі через него приходили від Жидів, та й увірували в Ісуса.

12 Назавтра багато народу, поприходивши на сьвято, почувши, що Ісус ійде в Єрусалим,

13 побрали віттє пальмове, та й вийшли назустріч Йому, покликуючи: Осанна! благословен грядущий в імя Господнє, Цар Ізраілїв!

14 Знайшовши ж Ісус осля, сів на него, як написано:

15 Не лякайсь, дочко Сионська! ось твій Цар іде, сидячи на молодому ослї.

16 Сього ж не зрозуміли ученики Його спершу; тільки, як прославивсь Ісус, тодї згадали, що се про Него писано, й що се зробили Йому.

17 Сьвідкував же народ, що був із Ним, як Лазаря викликав із гробу й воскресив Його з мертвих.

18 Тим і зустрів Його народ, бо чув, що Він зробив сю ознаку.

19 Фарисеї ж казали між собою: Бачите, що не вдїєте нїчого? ось увесь сьвіт за Ним пійшов!

20 Були ж деякі Геленяне між

тими, що поприходили, щоб поклонитись у сьвято.

21 Сї ж приступили до Филипа, що був з Витсаїди Галилейської, кажучи: Добродїю, хочемо Ісуса видїти.

22 Приходить Филип і каже Андреєві, а знов Андрей та Филип кажуть Ісусові.

23 Ісус же відказав їм, говорячи: Прийшла година, щоб прославив ся Син чоловічий.

24 Істино, істино глаголю вам: Коли зерно пшеничне, впавши на землю, не вмре, то одно зостаєть ся; коли ж умре, то багато овощу приносить.

25 Хто любить душу свою, погубить її; а хто ненавидить душу свою в сьвітї сьому, на вічнє життє збереже її.

26 Коли менї служить хто, нехай іде слїдом за мною; і де я, там і слуга мій буде. І коли хто менї служить, пошанує його Отець.

27 Тепер же душа моя стрівожилась, і що менї казати? Отче, спаси мене від години сієї; тільки ж для сього прийшов я на годину сю.

28 Отче, прослав імя Твоє! Зійшов тодї голос із неба: І прославив, і знов прославлю.

29 Народ же, що стояв і чув, казав, що грім загремів. Инші казали: Ангел Йому говорив.

30 Озвавсь Ісус і рече: Сей голос роздавсь не ради мене, а ради вас.

31 Тепер суд сьвіту сьому: тепер князь сьвіту сього проженеть ся геть.

32 І я, як буду піднятий від землї, всїх притягну до себе.

33 Се ж глаголав, означуючи, якою смертю має вмерти.

34 Озвавсь до Него народ: Ми чули з закону, що Христос пробуває по вік: як же Ти кажеш, що треба угору піднятись Синові чоловічому? Хто се Син чоловічий?

35 Рече ж їм Ісус: Ще малий час сьвітло з вами. Ходїть, доки сьвітло маєте, щоб темрява вас не захопила; а хто ходить у темряві, не знає, куди йде.

36 Доки сьвітло маєте, віруйте в сьвітло, щоб синами сьвітла стали ся. Се промовив Ісус, і пійшовши, заховавсь од них.

37 Хоч стільки ознак зробив перед ними, не увірували в Него,

38 щоб слово Ісаїї пророка справдилось, котрий промовив: Господи, хто вірував тому, що чув од нас? і рамя Господнє кому відкрилось?

39 Тим не змогли віровати, що знов глаголе Ісаїя:

40 Засліпив очі їх і закаменив серце їх, щоб не бачили очима, нї розуміли серцем, і не обернулись, і я не сцілив їх.

⁴¹ Се промовив Ісаїя, як видів славу Його й глаголав про Него.

⁴² Однако ж з князів многі увірували в Него, та задля Фарисеїв не визнавали, щоб не вилучено їх із школи.

⁴³ Любили бо славу чоловічу більш, ніж славу Божу.

⁴⁴ Ісус же покликнув, і рече: Хто вірує в мене, не в мене вірує, а в Пославшого мене.

⁴⁵ І хто видить мене, видить Пославшого мене.

⁴⁶ Я сьвітлом у сьвіт прийшов, щоб усякий, хто вірує в мене, в темряві не пробував.

⁴⁷ І коли хто слухає слова мої, та й не вірує, я не суджу його; бо я прийшов, не щоб судити сьвіт, а щоб спасти сьвіт.

⁴⁸ Хто цурає ся мене, й не приймає словес моїх, має собі суддю: слово, що я глаголав, воно судити ме його останнього дня.

⁴⁹ Бо я не від себе глаголав, а пославший мене Отець, Він менї заповідь дав, що промовляти і що глаголати.

⁵⁰ І я знаю, що Його заповідь життє вічнє. Що ж промовляю я, яко ж глаголав менї Отець, так промовляю.

**13** Перед сьвятом же пасхи, знаючи Ісус, що прийшла Його година, щоб зійти з сьвіту сього до Отця, — любивши своїх, що були в сьвітї, до кінця любив їх.

² І по вечері, як диявол уже вкинув у серце Юди Симонового Іскариоцького, щоб Його зрадив,

³ знаючи Ісус, що все дав Йому Отець у руки, й що від Бога вийшов, і до Бога йде,

⁴ устає зза вечері і скидає одежу; і, взявши рушник, підперезавсь.

⁵ Після того налив води в умивальницю, та й почав обмивати ноги ученикам та обтирати рушником, котрим був підперезаний.

⁶ Приходить же до Симона Петра, й каже Йому той: Господи, Ти обмиваєш ноги мої?

⁷ Відказав Ісус, і рече Йому: Що я роблю, ти не знаєш тепер, зрозумієш же опісля.

⁸ Каже Йому Петр: Не мити меш ніг моїх до віку. Відказав йому Ісус: Як не обмию тебе, не мати меш части зо мною.

⁹ Каже Йому Симон Петр: Господи, не тільки ноги мої, та й руки й голову.

¹⁰ Рече йому Ісус: Обмитому не треба, як тільки ноги мити, а чистий увесь. І ви чисті, та не всї.

¹¹ Знав бо зрадника свого; тим і сказав: Не всї ви чисті.

¹² Як же пообмивав ноги їх і взяв одежу свою, сївши знов, рече їм: Чи знаєте, що зробив я вам?

13 Ви звете мене Учителем і Господем, і добре кажете, се бо я.

14 Коли ж я помив вам ноги, Господь і Учитель, то й ви повинні один одному обмивати ноги.

15 Приклад бо дав вам, і як я зробив вам, і ви робіть.

16 Істино, істино глаголю вам: Не єсть слуга більший пана свого, ані посланець більший пославшого його.

17 Коли се знаєте, то блаженні ви, коли робити мете се.

18 Не про всіх вас глаголю: я знаю кого вибрав; та щоб писаннє справдилось: Хто їсть зо мною хліб, підняв на мене пяту свою.

19 Від нині глаголю вам, перше ніж стало ся, щоб, як станеть ся, увірували, що се я.

20 Істино, істино глаголю вам: Хто приймає, коли я кого пішлю, мене приймає; а хто мене приймає, приймає Пославшого мене.

21 Се промовивши Ісус, зворушив ся духом, і сьвідкував і рече: Істино, істино глаголю вам, що один із вас ізрадить мене.

22 Ззирались тоді між собою ученики, сумніваючись, про кого Він говорить.

23 Був же за столом один із учеників Його на лоні Ісусовім, котрого любив Ісус.

24 Сьому кивнув Симон Петр, щоб спитав, хто б се був, про кого говорить.

25 Пригорнувшись той до грудей Ісусових, каже Йому: Господи, хто се?

26 Відказав Ісус: Той, кому я, умочивши кусок, подам. І, вмочивши кусок, дав Юдї Симоновому Іскариоцькому.

27 А за куском увійшов тоді в него сатана. Рече ж йому Ісус: Що робиш, роби швидко.

28 Сього не зрозумів ніхто, що сидїли за столом, проти чого сказав йому.

29 Деякі бо думали, — яко ж бо скриньку мав Юда, — що каже йому Ісус: купи, що треба нам про сьвято; або, щоб що дав убогим.

30 Узявши ж він кусок, зараз вийшов; була ж ніч.

31 Як же вийшов, рече Ісус: Тепер прославив ся Син чоловічий, й Бог прославив ся в Йому.

32 Коли Бог прославив ся в Йому, то Бог прославить і Його в собі, і скоро прославить Його.

33 Дїтки! ще короткий час я з вами. Шукати мете мене, і яко ж казав я Жидам: Що, куди йду я, ви не можете йти, і вам глаголю тепер.

34 Заповідь нову даю вам: щоб любили один одного. Як я любив вас, щоб і ви любили один одного.

35 По сьому знати муть усї, що ви мої ученики, коли любов мати мете один до одного.

36 Рече Йому Симон Петр: Господи, куди йдеш? Відказав йому Ісус: Куди йду, не можеш тепер за мною йти; опісля ж пійдеш за мною.

37 Каже Йому Петр: Господи, чому не можу за Тобою йти тепер? Душу мою за Тебе положу.

38 Відказав йому Ісус: Душу твою за мене положиш? Істино, істино глаголю тобі: не запіє півень, доки мене відречеш ся тричі.

**14** Нехай не трівожить ся серце ваше. Віруйте в Бога і в мене віруйте.

2 В дому Отця мого осель багато. Коли б нї, сказав би вам: Йду наготовити місце вам.

3 І, як пійду та наготовлю вам місце, знов прийду й прийму вас до себе, щоб де я, і ви були.

4 А куди я йду, знаєте, й дорогу знаєте.

5 Каже Йому Тома: Господи, не знаємо, куди йдеш; і як можемо дорогу знати?

6 Рече йому Ісус: Я дорога й правда, й життє: нїхто не приходить до Отця, як тільки мною.

7 Коли б знали мене, й Отця мого знали б; і від нинї знаєте Його, й видїли Його.

8 Каже Йому Филип: Господи, покажи нам Отця, то й буде з нас.

9 Рече йому Ісус: Стільки час я з вами, й не пізнав єси мене, Филипе? Хто видів мене, видїв Отця; як же ти кажеш: Покажи нам Отця?

10 Хиба не ймеш віри, що я в Отцї і Отець у менї? Слова, що я промовляю вам, від себе не промовляю; Отець же, що в менї пробуває, Той робить дїла.

11 Віруйте менї, що я в Отцї і Отець у менї; коли ж нї, задля дїл самих віруйте менї.

12 Істино, істино глаголю вам: Хто вірує в мене, дїла, що я роблю, і він робити ме: й більше сього робити ме; бо я до Отця мого йду.

13 І чого просити мете в імя моє, те зроблю, щоб прославивсь Отець у Синї.

14 Коли чого просити мете в імя моє, я зроблю.

15 Коли любите мене, хоронїть заповідї мої.

16 І я вблагаю Отця, і дасть вам иншого утїшителя, щоб пробував з вами по вік,

17 Духа правди, котрого сьвіт не може прийняти; бо не видить Його, анї знає Його; ви ж знаєте Його, бо з вами пробуває і в вас буде.

18 Не зоставлю вас сиротами: прийду до вас.

19 Ще трохи, й сьвіт мене більш не видїти ме; ви ж будете видїти мене, бо я живу, й ви жити мете. 20 Того дня знати мете, що я в Отцї моїм, і ви в менї, а я в вас. 21 Хто має заповідї мої і хоронить їх, той любить мене; хто ж любить мене, буде люблений від Отця мого, і я любити му його, і обявлюсь йому.

22 Каже Йому Юда, не Іскариоцький: Господи, що воно єсть, що маєш нам обявитись, а не сьвітові?

23 Відказав Ісус і рече йому: Коли хто любить мене, слово моє хоронити ме, і Отець мій любити ме його, і до него прийдемо, і оселю в него зробимо.

24 Хто не любить мене, словес моїх не хоронить; а слово, що ви чуєте, не моє, а пославшого мене Отця.

25 Се я глаголав вам, у вас пробуваючи.

26 Утїшитель же, Дух сьвятий, которого пішле Отець в імя моє, Той научить вас усього, й пригадає вам усе, що я глаголав вам.

27 Упокій оставляю вам, мій упокій даю вам; не, яко ж сьвіт дає, я даю вам. Нехай не трівожить ся серце ваше, анї лякаєть ся.

28 Ви чули, що я глаголав вам: Ійду, й прийду до вас. Коли б любили мене, зрадїли б, що я

сказав: Ійду до Отця; бо Отець мій більший мене.

29 І оце глаголав вам, перш ніж тому стати ся, щоб, як станеть ся, увірували.

30 Вже більш не говорити му багато з вами, йде бо князь сьвіта сього, й у менї не має нічого.

31 Та, щоб знав сьвіт, що я люблю Отця, і, яко ж заповідав менї Отець, так чиню. Уставайте, ходїмо з відсїля.

**15** Я правдива виноградина, а Отець мій виноградар.

2 Кожну вітку в мене, що не родить овощу, відтинає її, а кожну, що родить овощ, обчищує її, щоб більш овощу родила.

3 Вже ви чисті через слово, що я глаголав вам.

4 Пробувайте в менї, і я в вас. Яко ж вітка не може овощу родити від себе, коли не пробувати ме на виноградинї, так анї ви, коли в менї не будете пробувати.

5 Я виноградина, ви віттє. Хто пробуває в менї, а я в йому, той приносить багато овощу; бо без мене не можете робити нічого.

6 Коли хто не пробуває в менї, буде викинутий геть, як вітка, і всохне, й зберуть їх, та й кинуть в огонь, і згорять.

7 Коли пробувати мете в менї, а слова мої пробувати муть в вас,

то, чого схочете, просити мете, і станеть ся.

8 У сьому прославив ся Отець мій, щоб овощу багато давали ви, й були моїми учениками.

9 Яко ж полюбив мене Отець, і я полюбив вас; пробувайте в любові моїй.

10 Коли заповіді мої хоронити мете, пробувати мете в любові моїй; я хоронив заповіді Отця мого, й пробуваю в любові Його.

11 Се глаголю вам, щоб радощі мої пробували в вас, і щоб радощі ваші сповнились.

12 Се заповідь моя: Щоб любили один одного, як я полюбив вас.

13 Більшої сієї любови ніхто не має, як щоб хто душу свою положив за другів своїх.

14 Ви други мої, коли робити все, що я заповідаю вам.

15 Вже більш вас не зву слугами, бо слуга не знає, що робить пан його; вас же назвав я другами, бо все, що чув я від Отця мого, обявив вам.

16 Не ви мене вибрали, а я вибрав вас, та й настановив вас, щоб ви йшли і овощ приносили, і овощ ваш пробував; щоб чого просити мете в Отця імям моїм, дав вам.

17 Се заповідую вам, щоб любили один одного.

18 Коли сьвіт вас ненавидить, знайте, що мене перш вас зненавидів.

19 Коли б із сьвіта були, сьвіт своє любив би; як же ви не з сьвіта, а я вибрав вас із сьвіта, тим ненавидить вас сьвіт.

20 Згадайте слово, що я сказав вам: Не більший слуга пана свого. Коли мене гонили, і вас гонити муть. Коли моє слово хоронили, і ваше хоронити муть.

21 Та се все робити муть вам задля імя мого, бо не знають Пославшого мене.

22 Коли б я не прийшов і не глаголав їм, гріха не мали б вони; тепер же вимовки не мають вони за гріх свій.

23 Хто мене ненавидить, і Отця мого ненавидить.

24 Коли б діл не зробив я в них, яких ніхто инший не робив, гріха не мали б; тепер же виділи й зненавиділи мене і Отця мого.

25 Та щоб справдилось слово, написане в законї їх: Що зненавиділи мене дармо.

26 Як же прийде Утїшитель, що я пішлю вам од Отця, Дух правди що від Отця виходить, Той сьвідкувати ме про мене.

27 І ви ж сьвідкувати мете: бо від почину ви зо мною.

**16** Се я глаголав вам, щоб ви не поблазнились.

2 Вилучати муть вас із шкіл; ба прийде час, що всякий, хто вбиває

вас, думати ме, що службу приносить Богу

3 І се робити муть вам, бо не знали ні Отця, ні мене.

4 Та се сказав я вам, щоб, як прийде час, згадали про се, що я глаголав вам; бо з вами був.

5 Тепер же йду до Пославшого мене; й ніхто з вас не питає мене: Куди йдеш?

6 Та що се сказав я вам, смуток сповнив ваше серце.

7 Тільки ж я правду глаголю вам: лучче вам, щоб я пійшов; як бо не пійду, Утішитель не прийде до вас; як же пійду, пришлю Його до вас.

8 А Той прийшовши, докорить сьвітові за гріх, і за правду, і за суд:

9 за гріх бо не вірують у мене;

10 за правду ж, бо я до Отця мого йду, й більш не побачите мене;

11 за суд, бо князь сьвіта сього осуджений.

12 Ще багато маю глаголати вам, та ви не можете носити нині.

13 Як же прийде той Дух правди, то проведе вас до всякої правди; бо глаголати ме не від себе, а все, що чути ме, буде глаголати, й що настане, звістить вам.

14 Той мене прославить: бо з мого прийме і звістить вам.

15 Усе, що має Отець, — моє: тим я сказав, що з мого Він прийме, і звістить вам.

16 Трохи, і не будете видіти мене; а знов трохи, і побачите мене; бо я йду до Отця.

17 Казали тоді деякі з учеників Його між собою: Що се, що каже нам: Трохи, і не будете видіти мене, а знов трохи, і побачите мене, і: Бо я йду до Отця?

18 Казали ж: Що се, що каже: Трохи? Не знаємо, що Він каже.

19 Знав же Ісус, що хотіли Його спитати, й рече їм: Про се розпитуєтесь між собою, що я сказав: Трохи, і не будете видіти мене, а знов: трохи, і побачите мене?

20 Істино, істино глаголю вам: Що плакати й ридати будете ви, сьвіт же веселитись; ви ж смуткувати мете, та смуток ваш на радощі оберне ся.

21 Жінка як роджає, смуток має, бо прийшла година її; скоро ж уродить дитину, вже не памятає муки з радощів, що народив ся чоловік на сьвіт.

22 І ви оце тепер смуток маєте; знов же побачу вас, і звеселить ся серце ваше, і радощів ваших ніхто не візьме од вас.

23 І того дня в мене не питати мете. Істино, істино глаголю вам: Що чого ні попросите в Отця імям моїм, дасть вам.

24 Досі не просили ви нічого в імя моє. Просіть, то й приймете, щоб радість ваша була повна.

25 Оце приповістями глаголав вам; та прийде час, що більше вже приповістями не глаголати му вам, а явно про Отця звіщу вам.

26 Того дня просити мете в імя моє, і не глаголю вам, що я просити му Отця за вас.

27 Сам бо Отець любить вас; бо ви мене полюбили, й увірували, що я від Бога вийшов.

28 Я вийшов од Отця, і прийшов на сьвіт. Знов оставляю сьвіт і йду до Отця.

29 Кажуть Йому ученики Його: Оттепер явно глаголеш, і приповісти ніякої не кажеш.

30 Тепер знаємо, що знаєш усе, і не треба, щоб хто питав Тебе. По сьому віруємо, що від Бога вийшов єси.

31 Відказав їм Ісус: Тепер віруєте?

32 Ось прийде час, і нині прийшов, щоб ви розсипались кожен у свій бік, а мене самого зоставили; та я не сам, бо Отець зо мною.

33 Се глаголав я вам, щоб у мені впокій мали. У сьвіті горе мати мете, тільки ж бодріть ся: я побідив сьвіт.

**17** Се глаголав Ісус, і зняв очі свої на небо, й рече: Отче! прийшла година; прослав Сина Твого, щоб і Син Твій прославив Тебе.

2 Яко ж дав єси Йому власть над усяким тілом, щоб усїм, що дав єси Йому, дав вічнє життє.

3 Се ж життє вічнє в тому, щоб знали Тебе, єдиного справдешного Бога, та кого післав єси, Ісуса Христа.

4 Я прославив Тебе на землї: дїло кінчав я, що дав єси менї робити.

5 А тепер прослав мене Ти, Отче, у Тебе самого славою, що мав я в Тебе, перш ніж сьвіту бути.

6 Обявив я імя Твоє людям, що дав єси менї з сьвіта. Твої були вони, а Ти менї їх дав, і слово Твоє хоронили вони.

7 Тепер зрозуміли вони, що, скільки дав єси менї, все від Тебе.

8 Бо слова, що дав єси менї, дав я їм; і вони прийняли й зрозуміли справдї, що від Тебе прийшов я, і увірували, що Ти мене післав.

9 Я про них молю, не про сьвіт молю, а про тих, що дав єси менї, бо вони Твої.

10 І все моє Твоє, і Твоє моє, і я прославив ся в них.

11 І вже більш я не в сьвітї, а сї в сьвітї, і я до Тебе йду. Отче сьвятий, збережи їх в імя Твоє, тих, котрих дав єси менї, щоб були одно, яко ж ми.

12 Як був я з ними на сьвітї, я беріг їх в імя Твоє; котрих дав єси менї, стеріг я, і ніхто з них не погиб, тільки Син погибельний, щоб писаннє справдилось.

13 Тепер же до Тебе йду, і се глаголю в сьвіті, щоб мали радість мою повну в собі.

14 Я дав їм слово Твоє, і сьвіт зненавидів їх, бо вони не з сьвіта, яко ж я не з сьвіта.

15 Не молю, щоб узяв їх із сьвіта, а щоб зберіг їх од зла.

16 Не з сьвіта вони, яко ж я не з сьвіта.

17 Освяти їх правдою Твоєю; слово Твоє правда.

18 Як мене післав єси в сьвіт, і я післав їх у сьвіт.

19 І за них я посьвячую себе, щоб і вони були осьвячені правдою.

20 Не про сих же тільки молю, а також і про тих, що задля слова їх увірують у мене,

21 щоб усї одно були: яко ж Ти, Отче, в менї і я в Тобі, щоб і вони в нас одно були, щоб сьвіт увірував, що Ти мене післав єси.

22 І славу, що дав єси мені, дав я їм, щоб були одно, яко ж ми одно.

23 Я в них і Ти в мені, щоб були звершені в одно, і щоб зрозумів сьвіт, що Ти мене післав єси і полюбив їх, яко ж мене полюбив єси.

24 Отче, которих дав єси мені, хочу, щоб, де я, і вони були зо мною, щоб виділи славу мою, що дав єси мені; бо полюбив єси мене перш основання сьвіта.

25 Отче праведний, і сьвіт Тебе не пізнав, я ж пізнав Тебе, і сї пізнали, що Ти мене післав.

26 І я обявив їм імя Твоє, і обявляти му, щоб любов, якою любив єси мене, в них була, а я в них.

**18** Се промовивши Ісус, вийшов з учениками своїми за потік Кедрон, де був сад, у котрий ввійшов Він і ученики Його.

2 Знав же й Юда, що зрадив Його, се місце, бо почасту збирались там Ісус і ученики Його.

3 Тодї Юда, взявши роту та архиєрейських і Фарисейських слуг, приходить туди з лихтарнями, та факлями\*, та з зброєю.

4 Знаючи ж Ісус усе, що настигає на Него, вийшов і рече їм: Кого шукаєте?

5 Відказали Йому: Ісуса Назорея. Рече їм Ісус: Се я. Стояв же й Юда зрадник Його, з ними.

6 Як же сказав їм: Що се я, відступили вони назад, та й попадали на землю.

7 Знов же спитав їх: Кого шукаєте? Вони ж сказали: Ісуса Назорея.

8 Відказав Ісус: Сказав вам, що се я. Коли ж мене шукаєте, дайте сим відійти.

9 Щоб справдилось слово, що

---

\* смолоскипами

промовив: Що которих дав єси мені, не згубив я з них нікого.

10 Тоді Симон Петр, маючи меч, вийняв його, і вдарив слугу архиєрейського, та й відтяв йому ухо праве. Було ж імя слузі Малх.

11 Рече тоді Ісус Петрови: Вкинь меч твій у похву. Чашу, що дав мені Отець, хиба не пити її?

12 Тоді рота, й тисячник, і слуги Жидівські схопили Ісуса, та й звязали Його,

13 і повели Його перш до Анни, був бо тестем Каяфі, що був архиєреєм того року.

14 Був же Каяфа той, що порадив Жидам, що лучче нехай один чоловік умре за людей.

15 Пійшов же слідом за Ісусом Симон Петр та ще другий ученик. Той же ученик був знаний архиєреві, і прийшов з Ісусом у двір архиєрейський.

16 Петр же стояв перед дверми знадвору. Вийшов тоді другий ученик, що був знаний архиєреві, і сказав дверниці, і ввела Петра.

17 Каже тоді слуга дверниця Петрови: Чи й ти єси з учеників чоловіка сього? Каже той: Ні.

18 Стояли ж раби й слуги, що розложили огонь; холодно бо було, та й грілись. Стояв з ними й Петр, і грів ся.

19 Тоді архиєрей спитав Ісуса про учеників Його й про науку Його.

20 Відказав йому Ісус: Я глаголав ясно сьвітові; я завсіди учив у школі і в церкві, куди Жиди завсіди сходять ся, і потай не глаголав нічого.

21 Чого мене питаєш? Спитай тих, що слухали, що я глаголав їм; ось вони знають, що я казав.

22 Як же Він се промовив, один із слуг, стоячи тут, ударив у лице Ісуса, кажучи: Так відказуєш архиєреві?

23 Відказав йому Ісус: Коли недобре сказав я, сьвідкуй про недобре; коли добре, за що мене бєш?

24 Післав Його Анна звязаного до Каяфи архиєрея.

25 Симон же Петр стояв та грів ся. Кажуть тоді йому: Чи й ти з Його учеників? Він же відрік ся і сказав: Ні.

26 Каже один із слуг архиєрейських, своях того, котрому відтяв Петр ухо: Чи ж не бачив я тебе в саду з Ним?

27 Знов тоді відрік ся Петр, і зараз півень запіяв.

28 Ведуть тоді Ісуса від Каяфи у претор; був же ранок; і не ввійшли вони в претор, щоб не опоганитись та щоб їсти їм пасху.

29 Вийшов тоді Пилат до них, і каже: Яку вину приносите на чоловіка сього?

30 Озвались і казали йому: Коли

б Він не був лиходій, не віддавали б ми Його тобі.

31 Каже тоді їм Пилат: Візьміть ви Його й по закону вашому осудіть Його. Сказали тоді йому Жиди: Нам не годить ся вбивати нікого.

32 Щоб Ісусове слово справдилось, що промовив, означуючи, якою смертю має вмерти.

33 Увійшов тоді знов Пилат у претор, і покликав Ісуса, і каже Йому: Ти єси цар Жидівський?

34 Відказав йому Ісус: Від себе ти се говориш, чи инші тобі сказали про мене?

35 Озвавсь Пилат: Хиба я Жид? Нарід Твій і архиєреї видали мені Тебе. Що зробив єси?

36 Відказав Ісус: Царство моє не од сьвіта сього. Коли б од сьвіта сього було Царство моє, слуги мої воювали б, щоб не видано мене Жидам; тільки ж Царство моє не звідсіля.

37 Рече тоді Йому Пилат: Так Ти цар? Відказав Ісус: Ти кажеш, що цар я. Я на се родивсь і на се прийшов у сьвіт, щоб сьвідкувати правді. Кожен, хто від правди, слухає мого голосу.

38 Каже Йому Пилат: Що таке правда? І, се сказавши, знов вийшов до Жидів, і каже їм: Ніякої вини не знаходжу я в Йому.

39 Єсть же звичай у вас, щоб одного вам відпускав я на пасху. Хочете ж, щоб випустив вам царя Жидівського.

40 Закричали тоді вони всї знов, кажучи: Не Сього, а Вараву. Був же Варава розбійник.

# 19

Тодї узяв Пилат Ісуса, та й бив Його.

2 А воїни сплївши вінець із тернини, надїли на голову Йому, і в одежу червону одягли Його,

3 і казали: Радуй ся, царю Жидівський! і били Його в лице.

4 Вийшов тоді знов Пилат, і каже їм: Ось я виводжу вам Його, щоб знали, що в Йому ніякої вини не знаходжу.

5 Вийшов тоді Ісус у терновім вінці і в червоній одежі. І каже їм Пилат: Ось, чоловік!

6 Як же побачили Його архиєреї та слуги, то закричали, кажучи: Розпни, розпни Його! Каже їм Пилат: Візьміть ви Його та й розпнїть; я бо не знаходжу в Йому вини.

7 Відказали йому Жиди: Ми закон маємо, і по закону нашому повинен умерти, бо Він себе Сином Божим зробив.

8 Як же почув Пилат се слово, то ще більше злякав ся,

9 і ввійшов у претор знов, і каже Ісусові: Звідкіля єси Ти? Ісус же одповідї не дав йому.

10 Каже тодї Йому Пилат: До мене не говориш? Не знаєш, що власть маю розпяти Тебе, і власть маю відпустити Тебе?

11 Відказав Ісус: Не мав би єси власти нїякої надо мною, коли б не було тобі дано звиш. Тим, хто видав мене тобі, більший гріх має.

12 З того часу шукав Пилат одпустити Його; Жиди ж кричали, кажучи: Коли Сього відпустиш, не єси друг Кесареві. Всякий, хто царем себе робить, противить ся Кесареві.

13 Пилат же, почувши таке слово, вивів Ісуса, та й сїв на судищі, що зване Литостротос, а по єврейськи: Гавата.

14 Була ж пятниця перед пасхою, коло години ж шестої. І каже Жидам: Ось, Цар ваш!

15 Вони ж закричали: Візьми, візьми розпни Його! Каже їм Пилат: Царя вашого розпну? Відказали архиєреї: Не маємо царя, тільки Кесаря.

16 Тодї ж видав їм Його, щоб розпяли. Узяли ж Ісуса, та й повели.

17 І, несучи хрест свій, вийшов Він на врочище (місце) Черепове, що зветь ся по єврейськи Голгота.

18 Там розпяли Його, а з Ним инших двох, по сей і по той бік, посерединї ж Ісуса.

19 Написав же і надпись Пилат, та й виставив на хрестї; було ж написано: Ісус Назорей, Цар Жидівський.

20 Сю ж надпись многі читали з Жидів; бо поблизу города було місце, де розпято Ісуса; а було написане по єврейськи, по грецьки і по римськи.

21 Казали тодї Пилатові архиєреї Жидівські: Не пиши: Цар Жидівський, а що Він казав: Я цар Жидівський.

22 Відказав Пилат: Що написав, написав.

23 Тодї воїни, розпявши Ісуса, взяли одежу Його, й зробили з неї чотири частї, кожному воїнові часть, і хитон*; був же хитон не сшиваний, а ввесь од верху тканий.

24 Сказали тодї між собою: Не дерімо його, а киньмо жереб на него, чий буде. Щоб справдилось писаннє, що глаголе: Поділили одежу мою собі, і на моє платтє кидали жереб. То воїни се й зробили.

25 Стояла ж коло хреста Ісусового мати Його та сестра матери Його, Мария Клеопова, та Мария Магдалина.

26 Ісус же, побачивши матїр і ученика стоячого коло неї, котрого

---

\* намітку

любив, рече до матери своєї: Жено, ось син твій.

27 Опісля рече ученику: Ось, мати твоя. І з тієї години узяв її ученик до себе.

28 Після сього, знаючи Ісус, що все вже звершилось, щоб справдилось писаннє, рече: Жаждую.

29 Стояла ж посудина повна оцту; вони ж, напоївши губку оцтом і на тростину настромивши, піднесли Йому до уст.

30 Скушавши ж оцту Ісус, рече: Звершилось; і, схиливши голову, віддав духа.

31 Жиди ж, щоб не зоставались на хрестах тіла в суботу (був бо великий день тієї суботи), благали Пилата, щоб поперебивали їм гомілки, та й поздіймали.

32 Прийшли тоді воїни, й первому поломили ноги, й другому розпятому з Ним.

33 До Ісуса ж прийшовши, як побачили Його вже мертвого, не перебили Йому ніг;

34 а один з воїнів проколов Йому списом бік, і зараз вийшла кров і вода.

35 І той, що бачив се, засьвідкував, і правдиве сьвідченнє його; і знає він, що говорить правду, щоб ви вірували.

36 Сталось бо се, щоб писаннє справдилось: Кість Його не буде переломлена.

37 І знов инше писаннє рече: Дивити муть ся на Того, кого прокололи.

38 Після ж сього благав Пилата Йосиф з Ариматеї (бувши учеником Ісусовим, потайним же задля страху Жидівського), щоб зняти тіло Ісусове; й дозволив Пилат. Прийшов тоді і взяв тіло Ісусове.

39 Прийшов же й Никодим, що приходив перше до Ісуса в ночі, принїсши змішаної смирни й алое фунтів із сотню.

40 Взяли тоді тіло Ісусове, і обгорнули полотном з пахощами, як се звичай у Жидів ховати.

41 Був же на місці, де розпято Його, сад, а в саду новий гріб, в котрому ніколи нікого не положено.

42 Там оце положили Ісуса задля пятниці Жидівської; бо поблизу був гріб.

20 Первого ж дня тижня приходить Мария Магдалина вранці, як ще було темно, до гробу, і бачить, що каменя одвалено від гробу.

2 Біжить тоді, і приходить до Симона Петра та другого ученика, котрого любив Ісус, і каже їм: Узято Господа з гробу, і не знаємо, де положено Його.

3 Вийшов тоді Петр і другий ученик, і прийшли до гробу.

4 Бігли ж обидва разом, та другий ученик побіг скоріщ Петра, і прийшов первий до гробу.

5 І нахилившись, бачить, що лежить полотно, та не ввійшов.

6 Приходить тоді Симон Петр слїдом за ним, і ввійшов у гріб, і видить, що лежить полотно,

7 а хустка, що була на головії Його, не з полотном лежала, а осторонь звита, на одному місці.

8 Тоді ж увійшов і другий ученик, що прийшов первий до гробу, і видів, і вірував.

9 Ще бо не знали писання, що має Він з мертвих воскреснути.

10 Пійшли ж тоді ученики знов до себе.

11 Мария ж стояла перед гробом, плачучи, знадвору; як же плакала, нахилилась у гріб,

12 і видить двох ангелів у білому сидячих, один у головах, а один у ногах, де лежало тїло Ісусове.

13 І кажуть вони їй: Жено, чого плачеш? Каже їм: Бо взято Господа мого, й не знаю, де положено Його.

14 І, промовивши се, обернулась назад, і видить Ісуса стоячого, та й не знала, що се Ісус.

15 Рече їй Ісус: Жено, чого плачеш? кого шукаєш? Вона, думаючи, що се садівник, каже Йому: Добродїю, коли ти винїс Його, скажи мені, де Його положив, і я Його візьму.

16 Рече їй Ісус: Мариє. Обернувшись вона, каже Йому: Равуні, чи то б сказати: Учителю.

17 Рече їй Ісус: Не приторкайсь до мене; ще бо не зійшов до Отця мого, а йди до братів моїх, та скажи їм: Я схожу до Отця мого й Отця вашого, й Бога мого й Бога вашого.

18 Приходить Мария Магдалина, звіщаючи ученикам, що бачила Господа, й що Він се промовив їй.

19 Як же був вечір дня того, первого на тижнї, як двері були замкнені, де зібрались ученики задля страху перед Жидами, прийшов Ісус та й став посерединї, і рече їм: Упокій вам.

20 І, се промовивши, показав їм свої руки, і бік свій. Зрадїли тодї ученики, побачивши Господа.

21 Рече ж їм Ісус ізнов: Упокій вам. Яко ж післав мене Отець, і я посилаю вас.

22 І, се промовивши, дихнув, і рече їм: Прийміть Духа сьвятого.

23 Кому відпустите гріхи, відпустять ся їм; кому задержите, задержять ся.

24 Тома ж, один з дванайцяти, на прізвище Близняк, не був з ними, як прийшов Ісус.

25 Сказали йому другі ученики: Ми видїли Господа. Він же сказав їм: Коли не побачу на руках Його рани од гвіздя, і не вложу руки моєї в бік Його, не пійму віри.

26 А по восьми днях знов були в середині ученики Його, й Тома з ними. Приходить Ісус, як двері були замкнені, і став посередині, і рече: Впокій вам.

27 Опісля рече до Томи: Подай палець твій сюди, й подивись на руки мої, і подай руку твою, і вложи в бік мій, та й не будь невірний, а вірний.

28 І озвавшись Тома, каже Йому: Господь мій і Бог мій.

29 Рече йому Ісус: Що видїв єси мене, Томо, увірував єси; блаженнї, що не видїли, та й вірували.

30 Багато ж инших ознак робив Ісус перед учениками своїми, що не написані в книзї сїй.

31 Се ж написано, щоб ви вірували, що Ісус єсть Христос, Син Божий, і щоб, віруючи, життє мали в імя Його.

21 Після сього явив ся знов Ісус ученикам на морі Тивериядському; явив ся ж так.

2 Були в купі Симон Петр та Тома, на прізвище Близняк, та Натанаїл із Кани Галилейської, та сини Зеведеєві, та инших учеників Його двоє.

3 Каже їм Симон Петр: Пійду риби ловити. Кажуть вони йому: Пійдемо й ми з тобою. Вийшли та й улїзли зараз у човен; та не піймали тієї ночі нїчого.

4 Як же настав уже ранок, стояв Ісус на березї; та не знали ученики що се був Ісус.

5 Рече тодї їм Ісус: Дїти; чи маєте що їсти? Відказали Йому: Нї.

6 Він же рече їм: Закиньте невода з правого боку човна, то й знайдете. Закинули ж, і вже не здолїли його витягти задля множества риби.

7 Каже тодї ученик той, котрого любив Ісус, Петрові: Се Господь. Симон же Петр, почувши, що се Господь, підперезавсь (був бо нагий), та й кинувсь у море.

8 Инші ж ученики човником приплили (бо недалеко були від землї, а локот на двістї), тягнучи невода з рибою.

9 Скоро вийшли на землю, бачять розложений жар, а на йому рибу і хлїб.

10 Рече їм Ісус: Принесїть риби, що вловили тепер.

11 Улїз же Симон Петр, та й витяг невід на землю повен риби великої, сто й пятьдесять і три; і хоч стільки її було, не порвав ся невід.

12 Рече їм Ісус: Ідїть обідайте. Нїхто ж не важив ся з учеників спитати Його: Хто Ти єси? знаючи, що се Господь.

13 Приходить тодї Ісус і бере хлїб, та й дає їм, і риби так само.

14 Се вже втретє явивсь Ісус ученикам своїм, уставши з мертвих.

15 Як же обідали, рече Ісус Симонові Петру: Симоне Йонин, чи любиш мене більш, ніж сї: Каже Йому: Так, Господи; Ти знаєш, що я люблю Тебе. Рече йому: Паси ягнята мої.

16 Рече йому знов удруге: Симоне Йонин, чи любиш мене? Каже Йому: Так, Господи, Ти знаєш, що я люблю Тебе. Рече йому: Паси вівцї мої.

17 Рече йому втретє: Симоне Йонин, чи любиш мене? Засмутив ся Петр, що сказав йому втретє: Чи любиш мене? й каже Йому: Господи, Ти все знаєш; Ти знаєш, що люблю Тебе. Рече йому Ісус: Паси вівцї мої.

18 Істино, істино глаголю тобі: Як був єси молодий, то підперізував ся сам, і ходив єси куди хотїв; як же зістарієш ся, то простягнеш руки твої, і инший тебе підпереже, й поведе, куди не схочеш.

19 Се ж промовив, означуючи, якою смертю прославить Бога. І, сказавши се, рече йому: Йди слїдом за мною.

20 І обернувшись Петр, бачить ученика, котрого любив Ісус, слїдом ідучого, що й на вечері пригорнувсь до грудей Його, і питав: Господи, хто се, що зрадить Тебе?

21 Сього побачивши Петр, каже Ісусові: Господи, сей же що?

22 Рече йому Ісус: Коли схочу, щоб він пробував, доки прийду, що тобі до того? ти йди за мною.

23 І пійшло слово се між братів, що ученик той не вмре, та не сказав йому Ісус, що не вмре; а: Коли схочу, щоб він пробував, доки прийду, що тобі до того?

24 Се той ученик, що сьвідкує про се, і писав се; і знаємо, що правдиве сьвідкуваннє його.

25 Єсть же й иншого багато, що зробив Ісус, що, коли б писати з'осібна, то думаю, що й сам сьвіт не помістив би писаних книг. Амінь.